sugestões
oportunas

CÓPIA NÃO AUTORIZADA É CRIME
ABDR
ASSOCIAÇÃO BRASILEIRA DE DIREITOS REPROGRÁFICOS
RESPEITE O DIREITO AUTORAL

C. TORRES PASTORINO

sugestões oportunas

Guia para a Sabedoria

Direitos de publicação:
1988, Editora Vozes Ltda.
Rua Frei Luís, 100
25689-900 Petrópolis, RJ
www.vozes.com.br
Brasil

28ª edição, 2014.

6ª reimpressão, 2024.

Diagramação: Sheilandre Desenv. Gráfico
Revisão gráfica: Andréa Drummond
Capa: SGDesign

ISBN 978-85-326-0177-3

Este livro foi composto e impresso pela Editora Vozes Ltda.

A Elza

e a nossos filhos

Carlos Juliano Pereira Pastorino

e

Vera Christiana Pereira Pastorino

"Que nenhum olhar de impaciência ou **condenação tolde a beleza de sua vida!** Que sua fisionomia irradie contentamento de felicidade, de tal forma que todos os que se aproximem de você sejam contaminados por seu otimismo!"

C. Torres Pastorino
in Minutos de sabedoria, *n. 94*

Sumário

Apresentação

As páginas aqui reunidas nada apresentam de novidade: são repetições de velhas e revelhas teorias e ensinamentos, baseados nos evangelhos e nos antigos e recentes escritores místicos, orientais e ocidentais.

Foram escritas nos mais diversos momentos, diríamos quase "ao acaso", durante período longo de talvez dez anos, e deixadas tal como se materializaram diante da inspiração.

Assumimos-lhes a responsabilidade, de vez que jamais se apresentou qualquer nome a assiná-las, nem sequer por intuição, nem por indicação de qualquer mentor.

Como constituem doutrina aceita, haverá, por certo, muita coisa que já apareceu dita por outrem com outra forma e talvez até surjam frases com a mesma forma, o que poderia trazer-nos a pecha de "plagiadores" ou "pastichadores". Não julgamos seja isto de importância. O que importa é que se difunda ao máximo a doutrina.

Conscientemente, sabemos que nada copiamos. Mas não temos a menor dúvida de que, lendo muito e ouvindo muitas conferências, muita coisa será achada parecida com este ou aquele.

Ficamos com Paulo: "Contanto que, de qualquer modo, por pretexto ou por verdade, Cristo seja anunciado, nisto me regozijo" (Fl 1,18).

Carlos Torres Pastorino

1
Escolas

A dor purifica, o sofrimento redime.

A dor quebra os excessos, o sofrimento lapida as pontas.

A dor corta as arestas, o sofrimento ensina o caminho.

A dor martiriza e limpa, o sofrimento aprimora e lustra.

A dor é mestra primária, o sofrimento é professor universitário.

A dor é a primeira, porque age na carne, o sofrimento vem a seguir e prepara o espírito.

A dor inicia a caminhada, o sofrimento leva a termo.

A dor e o sofrimento são a escola das virtudes.

Só dispensaremos seus serviços quando tivermos aprendido a amá-los.

Só aprenderemos a amá-los quando tivermos aprendido a amar a todos, inclusive a nossos inimigos.

Aí chegados, depois que amamos a todos – especialmente à dor e ao sofrimento – nós nos veremos livres deles.

E nesse ponto, por absurdo que pareça, nós iremos, voluntariamente, em busca da dor e do sofrimento, já então para redimir os outros.

E então, nesse momento, poderemos dizer-nos realmente discípulos e imitadores do Cristo.

2
Estradas

O serviço é o caminho da humildade.

A humildade é o caminho do perdão.

O perdão é o caminho do amor.

O amor é o caminho da perfeição.

A perfeição é o caminho da divinização.

Vemos, por aí, que Deus é encontrado desde que se penetre a primeira porta, que é o serviço.

Não é, pois, nos salões aristocráticos que vamos encontrar Deus: aí moram as personalidades vaidosas, cheias de si e vazias de espírito.

É na porta de serviço humilde que encontramos o espírito das individualidades superiores, já despido de vaidades e preconceitos.

O serviço humilde, feito com perdão e amor, traz a luz da perfeição à alma, e atinge os píncaros da altitude se antes conseguir chegar aos abismos do próprio aniquilamento.

Só se sobe em espírito quando se desce em matéria.

Só se eleva a individualidade quando a personalidade se anula.

Só conquistaremos a vitória quando nós nos derrotarmos a nós mesmos.

Só teremos amor quando a ele renunciarmos em benefício dos outros.

O caminho do espírito segue em direção oposta ao da matéria: "Quem salva sua vida a perderá; mas quem perde sua vida por meu amor a salvará" (Lc 9,24).

3
Binômios

Recursos do alto, todos devemos pedir. Todavia, não esqueçamos que o primeiro auxílio há de partir de nós mesmos.

Pedir forças e suprimento é ótima coisa. Mas desperdiçá-los com as nossas horas de inação é criminoso.

Rogar ao Senhor operários para sua seara é louvável. Entretanto, deixar enferrujar a própria enxada é preguiça injustificável.

Solicitar socorro nas necessidades é imprescindível. No entanto, abandoná-lo inaproveitado é crime de esbanjamento.

Pedir a esmola de um auxílio em caso de doença é humano. Mas tornar a ferir o mesmo órgão com os nossos erros é imperdoável imprevidência.

Suplicar amparo nas horas de angústia e desespero é dever de humildade. Armar, porém, novos laços para sucumbir é tola leviandade.

Passar horas em rogativas súplicas e preces fervorosas é imitar os maiores santos e místicos. Esquecer, contudo, a ação de serviço imediato ao irmão que conosco caminha na estrada é preparar futura paralisia nos momentos angustiosos do desenlace.

Atende, pois, à oração, mas não olvides a ação.

A adoração glorifica o Pai em si mesmo, e isto nada lhe acrescenta à glória. Apenas faz que nos aproximemos dele pela sintonização de nossas vibrações, e o manifestemos através de nós mesmos. Mas a ação prepara novos adoradores, acrescentando, assim, mais um aparelho de sintonia, em que sua manifestação seja permanente.

Ora, mas vigia.
Medita, mas trabalha.
Pede, mas executa.
Louva, mas age.

Com estes binômios fortaleceremos nossas duas asas, para poder voar bem alto, sem o risco de despenhar no abismo.

4
Sabedoria

O estudo dá cultura. A meditação dá sabedoria.

A cultura enriquece o espírito. A sabedoria o eleva.

O enriquecimento do espírito o incha. Sua elevação o faz crescer, engrandecendo-o.

A inchação do espírito é vaidade, que se julga grande e vê tudo minguado em sua volta. O crescimento do espírito faz-lhe ver as coisas do alto com discernimento.

A primeira produz distorção. A segunda acerta a perspectiva.

A cultura é acúmulo que vem de fora, por justaposição. A sabedoria vem de dentro, por crescimento próprio.

A cultura é adquirida nos livros pela inteligência. A sabedoria é haurida pelo coração, na natureza.

A cultura pode ser apanágio de um ignorante, tanto quanto a sabedoria pode ser coroamento de um iletrado.

Harvey foi tachado de louco quando expôs sua teoria da circulação do sangue na Academia de Medicina; Pasteur foi combatido pelos médicos por não ser médico; a Academia de Ciências de Paris classificou de chantagem e impostura o gramofone de Édison, e não tomou conhecimento do aparelho que tocava diante deles, sob a alegação de que a nobreza da voz humana jamais poderia ser reproduzida senão pelo homem.

De quanto ridículo se revestem hoje essas apreciações dos doutores da ciência oficial.

Mas o homem não se emenda e teima em trilhar as mesmas estradas: dá muito valor à parte intelectual quase nenhum ao coração.

Lamentavelmente confunde cultura com sabedoria, chamando sábios aos que apenas acumulam grossas bibliotecas em seus neurônios, sem, no entanto, assimilar em seus corações um grama do conhecimento da verdade divina, que é o amor a Deus através de seu representante visível: nosso próximo.

Precisamos ser sábios, mesmo que não possamos ter grande cultura.

5
Confia

Reduz, divide... são palavras terríveis.

Nós diríamos: aumenta, acrescenta...

Os meios de ajuda e colaboração te hão de chegar, donde e como não esperas, mas virão às tuas mãos na hora oportuna.

Confia! Tem fé!

O pensamento constrói mais que os materiais de construção.

Prepara o edifício fluídico em tua mente, e depois ele materializar-se-á de tal modo que tu e teus companheiros vos confessareis maravilhados.

Muitos obreiros serão enviados para ajudar. Mas não poderemos violentar o livre-arbítrio deles.

Confia! Espera!

Alguns de teus companheiros já estão a teu lado.

Outros se encaminham.

Não recuses ninguém.

Os que talvez te pareçam menos aptos são muitas vezes os mais eficientes.

Não desprezes ninguém, por menos capacidade que pareça ter.

Põe em quem tem boa vontade a tua confiança e o teu amor.

Confia! Ama!

6
Cuida-te

A tarefa que te incumbe é pesada, mas tens de dar conta dela a fim de não perder a oportunidade.

Vê se te manténs equilibrado, baseado no amor de Jesus.

Tem fé: a ajuda jamais te faltará.

Não desanimes: há quem te sustente.

Caminha: a estrada espera teus passos.

Trata-te: para conservar sadio o vaso que te foi emprestado e ter força de levar adiante a cruz que é teu dote.

Não temas: Deus está em ti, como em todas as coisas.

Tem força, para dar força.

Tem coragem, para dar coragem.

Tem ânimo, para dar ânimo.

Dá a mão para sustentar teus irmãos e jamais te hão de faltar mãos que te socorram.

7
Negar-se

Negar a si mesmo é não pensar em si.

Negar a si mesmo é trabalhar pelos outros e para os outros, sem levar em conta o que fazemos.

Negar a si mesmo é deixar um almoço ou um jantar para ajudar os outros. Ajudar quando não há sacrifício de nossa parte não traz renúncia de si.

Negar a si mesmo é esquecer que existimos e lembrar-nos de que os outros existem.

Negar a si mesmo é trabalhar no trabalho alheio, deixando o seu de lado.

Negar a si mesmo é sacrificar as comodidades, o bem-estar, o próprio trabalho que nos agrada, para fazer o que agrada aos outros.

Negar a si mesmo é deixar que os outros usem e abusem de nós, sem um pensamento sequer de queixume.

Negar a si mesmo é não dar importância às ofensas e calúnias, não por orgulho, desprezando, mas porque achamos que a ofensa e a calúnia são auxílios que nos vêm de fora, para fazer-nos melhores, assim como os golpes do escalpelo, que ferem a pedra, mas dela cavam a estátua.

Negar a si mesmo é não se aborrecer, quando alguém nos tira de nosso trabalho para que lhe demos ajuda. Ajudemos especialmente a nossos filhos.

Negar a si mesmo é esquecer o corpo, quando o espírito tem que trabalhar.

Negar a si mesmo é apagar de tal modo a própria personalidade, a própria vontade, que o Cristo, que está dentro de nós, possa manifestar-se através de nós.

8
Pureza

Não deves cruzar os braços; trabalha ativamente.

Não queiras estacionar mais tempo.

Repara que tudo tem seu tempo e sua oportunidade.

A revolução tem de ser feita de baixo para cima, de dentro para fora, do mal para o bem.

Começa por fazer uma revolução dentro de ti, para que te tornes um vaso de eleição, onde o Mestre possa morar sem receio de manchar suas brancas vestes.

Bem sabes que a centelha divina habita em ti e é tua essência mais íntima.

Mas como pode essa centelha manifestar-se, atravessando muralhas de chumbo pesado e embrutecido?

Afina as paredes desse vaso que recebeste.

Purifica-o aos poucos, limpa-o de toda sorte de impurezas e verás como, através do vidro terso, resplandecerá a luz interior.

E todos os que se aproximarem de ti sentirão o influxo das emanações que vêm de Deus, através de teu coração.

Mas o principal cabe a ti.

Trabalha sem esmorecimento, dia e noite.

Assiste todos os que te buscam, sem desanimar, mas sem esquecer, também, que, ainda atendendo e servindo a todos, não podes descurar um minuto de tua limpeza.

Que dirá o dono da mansão, quando chegar, se encontrar a casa suja, o chão coberto de terra, as alfaias cheias de poeira?

Limpa!

Purifica!

Espana!

Mantém o ambiente interior, como o exterior.

9
Diálogo

– *Senhor*, Mestre e amigo, faça-se ouvir a tua voz em meu coração, e teu amor inflame minhas entranhas e as purifique!

– *Filho*, a pureza requerida para ouvir-me é obtida através da dor, como a decantação do ouro é feita através do fogo.

– *Mestre*, amigo e Senhor, ajuda-me a mergulhar em teu amor e em tua luz! Que tua luz, permeando-me, me ilumine, a fim de que eu consiga, consumindo-me em tua luz, iluminar os outros!

– *Filho*, consome-te no fogo da dor e do sacrifício. Não temas os que procuram diminuir-te. Aceita, com simplicidade, a luz e as trevas. Ama igualmente o frio e o calor, o árido e o fértil, o agradável e o tedioso.

– *Amigo*, Mestre e Senhor, que teu amor me impregne, ensinando-me a amar a todos!

– *Filho*, recebe, com o mesmo sorriso de alegria e satisfação, a todos os irmãos, agradem-te eles ou não. Ama a todos igualmente, sem distinção de simpatias ou antipatias. Ama a todos igualmente: não tens o direito de distinguir pessoas, pois todos são teus irmãos e devem ser igualmente queridos. O filho doente não é o mais querido? Então, não deve o amigo mais tedioso e inoportuno ser tratado com maior caridade?! Ama a todos igualmente!

10
Para obteres

Cala: para ouvires a voz divina.

Aceita: utilizando a compreensão.

Não desanimes: para não seres derrotado.

Ora: para que sejas ajudado.

Espera: até obteres resposta aos desejos justos.

Tem fé convicta: a fé remove montanhas à nossa frente.

Silencia e sofre: depurado e humilde, merecerás o prêmio a que aspiras.

Aguarda o momento oportuno: nada ocorre fora da hora estipulada no relógio da eternidade, onde não há hoje nem amanhã.

Tem serenidade: embora rujam as tempestades de fora, não se turvem as águas em ti.

No fundo do oceano, a calmaria é permanente, ainda que à superfície esbravejem os furacões.

Se assim agires, terás o que queres mais cedo do que pensas.

Se te agitares e revoltares, o prêmio será tirado e deixado para outra oportunidade.

Não interfiras nos desígnios de Deus: aguarda confiante a hora.

Sê discípulo do Cristo, sabendo carregar tua cruz, na renúncia de tua personalidade.

11
Luzes

A verdade brilha.

Uma simples centelha da verdade constitui um ponto luminoso na escuridão.

Alguns, por essa centelha, embora pequenina, conseguem achar o caminho que haviam perdido.

A fé também acende uma luz: embora não seja grande, pode ser o início de uma fogueira enorme.

Nunca desprezes, pois, em teu irmão, a pequenina centelha. Se te parece pequena e fraca, hoje, poderá, amanhã, crescer e iluminar cidades e países.

Ampara a fagulha que está começando: ela poderá iluminar, amanhã, o teu caminho.

Olha bem aquele pontinho de luz no morro: é uma fagulha. Se a brisa delicada a reanimar, alastrar-se-á pelo arvoredo. Se o vento for borrascoso e áspero, extinguir-se-á.

Se o pequenino candelabro, com sua lâmpada minúscula, não é notado no salão fortemente iluminado, todavia, num porão em trevas é suficiente para indicar o caminho.

Se na presença do sol a lua é pálida, em sua ausência devolve aos homens a luz radiosa que recebe.

No entanto, se o pirilampo tem uma luz muitíssimo mais fraca que a da própria lua, lembra-te de que é luz dele, e não refletida dos outros.

E, além disso, se a verdade e a luz ainda não têm origem em nós mesmos, de qualquer forma poderemos refleti-las se nossa superfície estiver limpa e polida.

12

Amor-sacrifício

Ama sempre, de todo pensamento e coração: conquistarás por esse meio um grande avanço na senda que procuras trilhar.

Amor legítimo e verdadeiro é o que sabe sacrificar-se em benefício do ser amado.

O ser amado representa, e é, a centelha divina que nos purifica e redime da dor.

A dor é o caminho único de subida, e a única porta que nos introduz no Reino dos Céus.

O Reino dos Céus inclui o domínio de si mesmo e de todos os instintos do passado.

O passado é a terra que ferimos com o arado de nossas ações, para que produza frutos opimos.

Os frutos colhidos após a lavradura da terra serão proporcionais, em sabor e grandeza, à profundidade dos sulcos cavados pela dor.

Amar é dar-se todo, sem nada pedir para si.

A suprema bênção da alegria é o sacrifício espontâneo por amor.

Um sacrifício de amor é, muitas vezes, o caminho da redenção que abre as portas ao paraíso do espírito e traz, em si, o germe da vida.

Se o quiseres, oferece-te em holocausto: talvez sejas aceito, e terás a felicidade da *dor-amor*, que é a maior ventura possível na Terra.

Se puderes, entrega-te como salvador, para seres imolado na cruz do *amor-sacrifício*: terás a tua redenção e a dos que amas!

13
Sentimento e sensação

O sentimento é elevado; a sensação é vibração baixa.

O sentimento é dignificante; a sensação é aviltante.

O sentimento é divino; a sensação é humana.

O sentimento é celestial; a sensação é terrena.

O sentimento é purificador; a sensação é, muitas vezes, impura.

O sentimento é do corpo espiritual; a sensação é do corpo de desejos.

Tenhamos sentimento a granel, esbanjemos sentimento, distribuamos sentimento a todos. Mas procuremos limitar ao mínimo as sensações.

Cortemos, aos poucos, a sensação, para que o sentimento se abstraia e eleve.

Não prendamos o sentimento: demos-lhe largas asas, para que voe e abarque a humanidade. Mas sufoquemos o mais que pudermos a sensação, a fim de que a elevação se cumpra e a espiritualização se faça.

A união perfeita será possível pelo sentimento, não pela sensação.

Se a união for baseada na sensação, após o desencarne sofreremos uma frustração. Mas se a união for realizada pelo sentimento, além de permanecer inalterável no ponto em que se encontra, crescerá de tal maneira após a desencarnação que jamais poderíamos supor-nos capazes de tanto amor.

14
Erros

A força vem de cima, a correspondência surge de baixo.

A luz desce do alto; o pavio ergue-se de baixo.

O pensamento precipita-se do céu e repercute no cérebro, embaixo.

A inspiração chove das nuvens; a poesia interpreta de baixo.

O amor nasce de Deus e manifesta-se entre os homens, embaixo.

Todo o bem vem de cima e atua embaixo, numa correspondência vibratória perfeita.

Daí, tudo o que existe embaixo ser reflexo do bem e do belo que existem no alto.

A ação material é secundária, sendo apenas reflexo da ação espiritual, a única que tem valor.

Assim, todos os atos materiais têm o valor dos atos espirituais que os provocaram.

Por isso, o erro na matéria só é erro quando reflexo de um ato espiritual errôneo, pela intenção errada que o inspira.

15
O próximo

Referir-se ao próximo como a um "estranho" é tão esquisito quanto referir-se a um livro como se fora um alfinete.

O próximo é a mesma substância que nós, porque todos temos a mesma centelha divina do mesmo Deus, que é a alma de tudo.

"Um só corpo há e um só espírito" (Ef 4,4).

O mesmo vinho, da mesma colheita, não deixa de ser o mesmo vinho por estar distribuído em dez barris e de lá passar a dez mil garrafas e, destas, a trinta mil copos.

O vinho é o mesmo, quer tenha sido derramado numa taça de cristal, quer numa caneca de ágata.

Assim, a centelha divina num corpo de príncipe ou numa carcaça de mendigo, adormecida numa pedra ou a vicejar numa planta, é sempre a mesma centelha divina.

Tudo é um, tudo é a mesma substância, já que a única substância com realidade objetiva é Deus.

Então, somos Deus?

– Não!

Temos a centelha divina como o espelho tem a centelha do sol e a reflete, se está limpo. Assim, refletiremos o Pai tanto melhor quanto mais puros estivermos.

Mas somos todos realidades subjetivas que só existem enquanto o Pai existe, da mesma forma que o espelho só reflete quando há sol e luz.

A substância divina, sem nada perder de si mesma, emite seus raios; e nós, espelhos, refletimos sua centelha, recebendo dele vida, luz, força, energia, tudo.

De nós mesmos, nada somos e nada valemos, tal como um espelho num porão escuro. Dele temos tudo.

E, no entanto, Deus não é a soma de todos nós, da mesma forma que bilhões de espelhos jamais formariam um sol.

O sol existe, age, opera, independentemente de um ou de bilhões de espelhos.

Mas nenhum espelho refletirá o sol que não esteja diante dele.

E, em bilhões de espelhos, o sol refletido é o mesmo. Portanto, todos os espelhos brilham pela luz do mesmo sol: a luz de todos é a mesma luz.

Assim, nas criaturas, a luz que nelas existe é a mesma, e todos somos uma só luz, porque todos vivemos da mesma e na mesma substância divina.

16
Tudo coopera

“Aos que amam a Deus tudo lhes coopera para o bem” (Rm 8,28).

Tudo coopera para o bem quando existe boa vontade no coração do homem.

Tudo coopera para o bem quando recebemos com a mesma tranquilidade o bem e o mal, a alegria e a dor, o grande e o pequeno, o repouso e o cansaço, a glória e a calúnia.

Tudo coopera para o bem quando existe em nós uma atmosfera de paz e serenidade, de resignação e fé.

Tudo coopera para o bem quando sabemos nos esquecer para lembrarmo-nos dos outros.

Tudo coopera para o bem quando ficamos em último lugar no banquete da vida sem queixar-nos dos percalços.

Tudo coopera para o bem quando aceitamos todas as ocorrências como manifestação da vontade divina.

Tudo coopera para o bem quando de nossa vida fazemos a tocha que ilumina e aquece a todos os viandantes, sem que cogitemos lhes pedir retribuição nem recompensa pela partícula de nossa luz que eles aproveitaram quando ela escapou pelas frestas e janelas abertas de nossa alma.

Tudo cooperará para o bem quando estivermos assíduos e firmes no trabalho de buscar e distribuir o Reino de Deus, não por interesses subalternos, mas pelo amor ardente que de nosso coração fez uma fornalha crepitante, a queimar sem interrupção.

17
No alto

Solta o espírito, para que ele voe pelos espaços, em busca da luz que ilumina o mundo.

No alto, a luz!

No alto, a paz!

No alto, a música das esferas sublimes, que balsamizam as dores e confortam os corações.

Solta a tua alma e liberta a tua mente das peias da matéria pútrida que entenebrece os anseios do coração.

Eleva tua mente às regiões da beleza infinita, diante da qual a matéria são trevas densas e opacas a cortar a visão.

Solta teu coração das criaturas materiais para que, liberto da ilusão das formas transitórias, possas afinar-te com a beleza excelsa e sem forma do espírito lúcido que, de si, irradia luz, perfume e amor.

Liberta as asas que te estão presas à lama do chão de terra pegajosa, para que teu espírito se livre altaneiro, onde o *eu* puro e a luz sublime são as vestes imaculadas dos espíritos superiores.

Volta à tua vibração de amor espiritual para que tua sintonização receba os eflúvios que atravessam teu ser, enobrecendo-o e erguendo-o aos cimos da montanha solitária do amor crucificado, que se traduz em dor e renúncia.

Solta!

Liberta!

Voa!

E tudo o que o universo produz de belo e grandioso será alimento para teu coração, inspiração para tua mente, luz para teus olhos, música para teus ouvidos e refrigério em tua solidão.

18
Submissão

A única submissão que liberta é a que nos prende à vontade divina, que se manifesta em nós e em nosso redor.

Essa submissão, longe de ser passiva resignação que se conforma com o inevitável, é movimento ativo de sincronização vibratória, que nos coloca em frequência harmônica com a irradiação divina.

Passamos, então, a reproduzir os sons e as formas que dela chegam, tal como os aparelhos de rádio e televisão: quando estão repetindo os sons e imagens da estação transmissora, esses aparelhos não estão escravizados à fonte emissora. Voluntariamente, por assim dizer, eles se colocam (ou são colocados) na mesma onda; e, então, recebem e reproduzem.

Assim é a submissão à vontade divina: uma sintonização com o Pai, mediante a qual passamos a querer ativamente o que Ele quer, a repetir voluntariamente o que Ele diz.

Submissão plena é sintonia perfeita.

Então, submissão é elevação, não escravização.

Submissão é o caminho para a melhor manifestação em nós da força divina.

Submissão é a cristificação do homem velho, a crucificação das baixas vibrações, no batismo do Espírito, para a ressurreição do homem novo e a ascensão à categoria de filhos de Deus.

Submissão, portanto, é o caminho mais curto para exteriorizar o Deus interno que vive em nós.

19
Perigos

O amor vence todos os obstáculos, mas também cega e não deixa ver os precipícios.

O amor tudo pode, inclusive cometer erros de perspectiva.

O amor é a maior força do mundo, mas quantas vezes a força é causa de explosões prejudiciais.

O amor é a maior alegria; no entanto, é também a semente que faz germinar a árvore da saudade.

O amor é santo, mas quantas vezes escorrega, sem sentir, para a animalidade grosseira.

O amor traz venturas sobre-humanas, mas deixa rastos de sangue na personalidade egoística.

O amor espiritual apenas dá, sem nada querer para si, mas o amor físico só dá quando recebe.

O amor espiritual arrebata ao céu da felicidade quando sabe renunciar em benefício do ser amado; o amor físico entra no império do despeito e do desespero quando não recebe do ser amado aquilo que ambiciona para si.

O amor reflete o céu ensolarado de dia e o brilho das estrelas à noite, mas o ciúme traz em seu bojo o negrume do breu do fundo de uma caverna lamacenta.

O amor é todo sol e felicidade; o ciúme é nuvem que tolda.

O amor espiritual é oferta; o amor físico é exigência.

O amor espiritual distingue-se do amor físico porque o primeiro é generoso, o segundo é avarento.

O amor espiritual alegra-se com a alegria do ser amado (embora essa alegria seja proporcionada por outra pessoa); o amor físico não chega a ser amor, porque é egoísmo grosseiro.

20
Vigilância

"...tivesse mandado também ao porteiro que vigiasse" (Mc 13,34).

O espírito encontra-se prisioneiro na matéria.

Entretanto, por diversas portas, existem meios de entrada e saída: o que está de fora pode entrar, e o que está dentro pode sair.

Não adianta, pois, colocar um vigia na porta principal e deixar desguarnecida a porta dos fundos.

Temos de vigiar a porta que se encontra nos olhos, cuidando do que por eles entra, mas também os raios fluídicos que por eles emitimos.

Tenhamos cuidado com o que entra pelos ouvidos, mas também com o que depositamos nos ouvidos alheios.

Vigiar a língua, quanto às palavras que proferimos e ainda quanto ao que saboreia para introduzir no organismo.

Vigiar os pés, para onde nos levam, mas também para que nos não deixem parados, quando precisamos caminhar.

Vigiar as mãos, para ver o que seguram, o que fazem, e ainda o que deixam de fazer; e mais os gestos que traçam na ação ou na inação, na bênção ou na maldição.

Vigiar sobretudo o coração, para saber o que produz e quais suas emissões de amor e de ódio.

O coração é porta principal da criatura humana: centro das emoções, motor do mais sublime intercâmbio entre as criaturas.

Vigia teu coração: para onde te está ele dirigindo?

Volta-o para o que é sublime, limpa-o dos salpicos de lama que o respingaram através das idades.

E Deus virá nele habitar.

21
Amadurecimento

Não sejas ansioso: confia.

Aguarda em silêncio: trabalha.

Olha dentro de ti: jamais estás só.

Trabalha sem descanso.

Ora sem interrupção.

Vigia sem desfalecimento.

Caminha sem vacilação.

Obedece sem reclamar.

Dá sem interesse.

E, na hora própria, os frutos estarão maduros para serem colhidos.

22
Angústia

Minha alma está esmagada sob o peso do sofrimento da humanidade.

Sinto meu coração dilacerado pelas dores que martirizam milhões de criaturas neste momento.

Senhor, se tua bondade não me sustentar, parece-me desfalecer de dor!

Condivido:

com os enfermos, suas enfermidades;
com os mutilados, suas mutilações;
com os presos, sua imobilidade;
com os abandonados, seu isolamento;
com os feridos, suas sangueiras;
com os fracos, suas deficiências;
com os angustiados, suas aflições;
com os que não têm amor, suas angústias.

Em mim vejo refletidas as chagas e as dores da humanidade.

E não há palavras que exprimam minha tristeza profunda, que embebe o coração, dando-lhe ânsias de expandir-se em lágrimas!

23
Ilusões do amor

A falta de todos os amores é vantajosamente suprida pelo amor sem limite do Mestre.

Formas belas são, pelo tempo, desfeitas em grúmulos de poeira.

Atitudes eretas são curvadas pelo peso dos anos.

Peles alvas ficam manchadas pelo esclerosamento das artérias e pelo depósito epitelial do colesterol.

Róseas faces empalidecem entre as rugas que o tempo sulca.

Flores túrgidas murcham, com o perpassar das invernias.

Sedosas cútis são crestadas pelo bochorno e ressequidas pelos quentes ventos estivais.

Lindos cabelos rareiam, ao cairem cansados de viverem pendurados.

Tudo passa.

Tudo se transforma.

Tudo acaba.

Por que, então, querer fixar-se no que é externo e transitório?

Aguarda que os corpos se desfaçam, e ama as almas!

24
Alivia-te

Serve com fé e confiança porque o operário é digno de seu salário.

Não te preocupes com a parte material porque o Pai a ninguém abandona, muito menos a quem procura viver para sua seara.

Esquece dores e atrasos e adianta-te porque a subida traz novos horizontes à visão e novos ares à vida.

Segue com o Mestre carregando a cruz pesada do martírio que nos libera do peso das culpas passadas, e nela acharemos a riqueza espiritual.

O encargo que preparamos como matalotagem para a nossa jornada hodierna só a nós compete.

Por que encher o alforje com riquezas demasiadas? Elas pesarão amanhã!

Por que sobrecarregar nossa vida de prazeres e comodismos? Eles constituirão lastro incontrolável.

Se desejares uma caminhada ligeira e expedita, dá, serve, distribui...

Quanto mais deres, mais leve te será amanhã o fardo da vida.

Quanto mais retiveres contigo, mais pesadas cargas transportarás nos ombros doloridos.

25
Trabalho

Montanhas de livros e pilhas de papéis dão, à mesa, a impressão de eficiência no trabalho.

Todavia, o mais forte e profundo labor não é o acúmulo externo de dados, mas o mergulho em profundeza no próprio âmago.

As mãos, os ouvidos, os olhos... muito se agitam, mas o que realmente produz é a mente silenciosa.

Todo trabalho, para ser realmente eficiente, precisa ter um objetivo sadio: o serviço da ajuda ao irmão.

O próprio "passatempo" deveria ter finalidade útil para que pudesse ser aproveitado.

O tempo precisa ser ganho, aproveitado, vivificado; jamais procure matá-lo.

O descanso, ainda que parecendo paralisia externa, é revigorante interno que nos proporciona energias; será, pois, produtivo, se dele soubermos extrair todo o proveito que nos proporciona.

26

Mergulhe em si mesmo

Sabendo já que Deus não é *um* sábio, mas a própria sabedoria e inteligência que dirige e governa, sustentando e dando a vida a todos os universos, compreendemos que os universos que vemos ou sentimos são apenas o reflexo da sabedoria divina manifestada de forma visível. Daí a maravilhosa ordem, a harmonia sem discrepância que se observa em toda a natureza.

O ser humano busca a sabedoria e só poderá achá-la quando encontrar o caminho que leva a Deus.

A sabedoria é o conhecimento da verdade. Por isso, disse Jesus: "Conhecereis a verdade e ela vos libertará" (Jo 8,32).

Muitos querem saber quem são pesquisando o que está de fora, a superfície externa, e jamais chegam a uma conclusão positiva. É como se alguém quisesse estudar o corpo humano e se detivesse na observação da roupa que o reveste.

Se quisermos saber quem somos não podemos estudar apenas a roupa, ou seja, o corpo, que é a exteriorização de nosso espírito, a projeção da alma e do pensamento.

Para termos conhecimento perfeito e exato de nós mesmos precisamos aprofundar-nos em nosso *eu*, não olhando-o de fora, mas mergulhando em nosso âmago. Não é a cultura aprendida de fora para dentro, nem a erudição livresca que nos darão a sabedoria: a sabedoria nasce de dentro de nós. Tanto assim que há analfabetos que são sábios e homens de grande cultura que são ignorantes. A cultura vem de fora, penetra pelos sentidos. A sabedoria nasce do coração, por meio da meditação.

Não é possível progredir no conhecimento de nós mesmos só pela leitura de livros nem ouvindo discursos e conferências de mestres externos.

O conhecimento vem do íntimo de cada um, onde se encontra o verdadeiro Mestre:

"Um só é vosso Mestre, o Cristo" (Mt 23,8).

Quando o discípulo está pronto, o mestre aparece, porque o discípulo chegou ao grau de poder descobri-lo dentro de si, ouvindo-lhe a voz.

Para saber quem somos, meditemos no silêncio de nossos aposentos, penetrando com o nosso olhar o âmago de nosso coração, a fim de descobrir, no mais recôndito, o Cristo que habita em nós: "Vós sois o templo de Deus, o tabernáculo do Espírito Santo" (1Cor 3,16); "o Reino de Deus está dentro de vós" (Lc 17,21).

Quando chegarmos a esse ponto começaremos a compreender um pouquinho de nós mesmos.

27

Semelhanças

A força vibrante em todos os seres parte do íntimo, porque no âmago está Deus.

Renova o coração depois de cada queda, tal como tiras a poeira das vestes cada vez que voltas da rua.

Retoma tuas forças a cada novo tropeço, tal como recuperas o equilíbrio quando escorregas na via pública.

Refaz a caminhada pela senda da ascensão, tal como voltas sobre teus passos cada vez que te enganas de rumo no labirinto da cidade.

Refrigera tua alma após cada tombo, tal como te lavas em reconfortador banho depois de árduo trabalho que engordura o corpo de suor.

Repete as ações que não corresponderam às normas do bem, tal como refazes o trabalho que não saiu correto como desejavas.

Recupera o tempo perdido desde priscas eras, tal como caminhas mais rápido pela estrada após demora maior na estalagem da esquina.

Retira-te apressadamente de qualquer situação que possa levar-te à queda, tal como espavorido foges da beira do abismo.

Assim, ao contemplar os atos comuns da vida, vamos compreendendo nosso modo de agir no mundo moral.

A vida é a mesma em qualquer plano, e o modo de agir na matéria é sempre lição e símbolo do que podemos e devemos fazer nos planos moral, intelectual e espiritual.

28
Oposições

Renunciar ao eu personalístico; mas jamais ao *eu* divino.

O eu pequeno é o que cresce para aparecer aos homens; o *eu* divino oculta-se de todos.

O eu pequeno quer engrandecer-se; o *eu* divino é anônimo por ser infinito.

O eu pequeno age em função de si mesmo; o *eu* divino age em função do cosmo ilimitado.

O eu pequeno pensa em relação a si mesmo; o *eu* divino pensa em relação ao todo.

O eu pequeno raciocina segundo seu interesse próprio; o *eu* divino raciocina para benefício geral.

O eu pequeno manifesta-se aos próprios olhos em primeiro plano; o *eu* divino esconde-se, para que o todo se manifeste.

O eu pequeno enche-se de orgulho e vaidade; o *eu* divino anula-se na humildade com o próprio *Deus.*

29
Quando...

Quando a dor nos visitar, agradeçamos a Deus o privilégio de poder conviver algum tempo com a maior mestra da humanidade.

Quando tudo sorrir em torno de nós, levantemos nossas almas em agradecimento ao Pai e oremos vigilantes com mais afinco, para que a alegria não nos faça esquecê-lo.

Quando a indiferença de alguém nos ferir, agradeçamos ao Mestre a oportunidade de poder, num isolamento temporário, meditar sobre nós mesmos.

Quando a palavra ferina nos apunhalar o coração, mormente se partir da pessoa querida, agradeçamos a Deus, pois muitas vezes a sangria é o remédio mais adequado a certas enfermidades que nos atacam.

Quando repentinamente a luz se apaga em redor de nossos passos, corremos a apanhar a vela benfazeja, embora fraquinha... Quantas vezes é exatamente a pequenina e bruxuleante chama da vela que nos faz evitar um precipício...

Não desprezes sua pequenina luz só porque não conseguiu ser um luminar na constelação dos sóis.

30
Só os melhores

Muitos são os chamados à seara santa, mas só os melhores respondem ao apelo.

Muitos penetram o pórtico do templo, mas só os melhores atingem o céu com suas preces.

Muitos erguem sua voz em clamor suplicante, mas só os melhores emitem a nota vibratória que atravessa os espaços infinitos.

Muitos proferem palavras de fé e encorajamento, de consolo e ajuda; mas só os melhores comovem o coração dos sofredores.

Muitos iniciam a caminhada pedregosa da ascensão; mas só os melhores alcançam o fim porque possuem fôlego para a subida íngreme.

Muitos são convocados para a apresentação diante dos trabalhos indispensáveis, mas só os melhores são escolhidos para tarefas especializadas.

Muitos desejam contribuir com suas forças para a distribuição do bem, mas só os melhores produzem vibrações realmente boas e valiosas.

Muitos apreciam o canto e a música, mas só os melhores atingem os altos graus do virtuosismo.

Muitos se submetem às provas difíceis, mas só os melhores logram aprovação e aproveitamento nas vagas existentes.

Esforcemo-nos, pois, em ser, em todos os campos, os melhores, para que consigamos o êxito que tanto almejamos.

31
Reparações

Repara o mal que fizeste, espalhando o bem no mesmo ambiente.

Dá a quem tiraste;
agrada a quem desagradaste;
louva a quem vituperaste;
fala bem de quem caluniaste;
cura a quem feriste;
salva a quem perdeste;
dá vida a quem mataste.

Só a reparação do mal pode saná-lo;
só o subir pode contrabalançar a descida;
só o amor pode anular o ódio;
só o benefício pode resgatar o malefício.

Para cima, pois, constantemente, agindo do modo mais positivo!

32
Sempre

Sempre que te chamarem, atende;
sempre que te pedirem, dá;
sempre que te tirarem, cede;
sempre que te falarem, ouve;
sempre que te perguntarem, responde;
sempre que te ofenderem, perdoa;
sempre que te caluniarem, faz o bem;
sempre que te ferirem, balsamiza;
sempre que te magoarem, esquece;
sempre que te pisarem, humilha-te;
sempre que te louvarem, fecha os ouvidos.

A estrada é árdua e difícil: o bem é pago com a consolação íntima de havê-lo praticado, e a ajuda aos outros é o maior auxílio a ti mesmo.

33
Esqueça o ontem

Desenterrar os mortos do passado não traz vantagem alguma ao presente.

Por que olhar para trás, quando estamos caminhando para a frente?

O espelho que reflete a estrada percorrida só serve para alertar-nos quanto aos perseguidores de trás que buscam passar-nos à frente, pondo em perigo a caminhada atual.

O passado é alicerce do presente, assim como os muros do primeiro andar de hoje são o sustentáculo do terraço de amanhã.

Quem está no primeiro andar busca subir ao terraço, e não escavoucar os alicerces, onde só encontrará lacraias e escorpiões.

Suba para contemplar as estrelas que o chamam na estrada futura e deixe que a animalidade inferior permaneça isolada entre os torrões do chão úmido e frio.

Não rebusque o passado que já se foi e não voltará mais, pois, se voltasse, atrapalharia grandemente nossa ascensão.

O que passou, acabou. A vida pregressa trouxe experiência e aprendizado: aproveitemo-los.

O aluno que faz experiências com instrumentos no laboratório de química, ao sair das aulas leva o conhecimento adquirido, mas abandona as provetas e ingredientes, agora já inúteis.

Que adianta rever ações erradas, cujas consequências ainda hoje sofremos, se já não as podemos modificar, e se sua recordação viva nos pode perturbar a marcha evolutiva?

Então, não busque o passado: olhe para a frente.

Não revolva a terra com enxada: perscrute o céu com telescópio.

Não recorde erros: plante árvores frutíferas que amanhã o abriguem e alimentem.

Esqueça o ontem e alce o coração para o amanhã.

Quando o hoje despontou na aurora de novo dia, o ontem estava terminado.

Risque-o da folhinha de sua vida.

Prepare suas lições para o exame de amanhã, porque, no de ontem, fomos aprovados com notas muito baixas.

Levante-se e caminhe para cima e para frente, deixando que os mortos em espírito enterrem seus mortos (Mt 8,22).

34
Imanência

A fé é irresistível.

Tudo supera, porque é mais forte que tudo.

A fé alcança os mais elevados planos e os movimenta com força assombrosa.

Tudo nos obedecerá se tivermos fé, porque tudo obedece a Deus.

E Deus habita dentro de nós, é imanente em nós.

Para conseguirmos tudo, temos que unir-nos à vontade de Deus que está em nós. Para isso é indispensável dissolver nossa vontade pessoal na vontade dele.

Fazendo assim não enfraqueceremos nossa vontade pessoal, mas a tornaremos muito mais forte, porque tornamos nossa vontade a vontade de Deus.

A isto chama-se realizar Deus em nós, ou, como dizia Jesus: ser *um* com o Pai.

Um com Deus!

Aniquilar-se para que Deus surja de dentro de nós, com sua força divina, criadora!

Não mais viveremos nós, mas *Cristo* viverá em nós.

E tudo o que nossa vontade desejar, inevitavelmente se cumprirá: "Se permanecerdes em mim e as minhas palavras permanecerem em vós, pedi o que quiserdes, e ser-vos-á feito" (Jo 15,7).

O que resistirá à vontade de Deus?

Deus está imanente em nós! Não o sentimos até hoje porque estamos enquadrados nos muros do egoísmo, do orgulho, da vaidade, do convencimento, certos de que somos maiores do que Deus...

35
Distinções

A doação de quem ama é um sol que se irradia.

O amor que pede retribuição é *egoísmo*;

o amor que exige pagamento é *avareza*;

o amor que busca reconhecimento é *vaidade*;

o amor que recebe para dar é *usura*;

o amor que calcula o resultado é *interesse*;

o amor que tem medo do mundo é *covardia*;

o amor que ordena e impõe é *tirania*;

o amor que sente ciúme é *mesquinhez*;

o amor que mede o que dá é *cobiça*;

o amor que espera receber é *ambição.*

Amor, para ser *amor*, tem que dar-se, sem nada pedir, assim como o sol.

36
Respostas

Responder a tudo, a tempo e com precisão, elucida mais do que longas preleções fora de oportunidade.

Esclarecer dúvidas é acender luzes em sítios escuros: evita quedas, porque faz ver os tropeços.

Quando algo te perguntarem, procura responder certo. Se não tiveres certeza, recolhe-te e ora, e fala só depois.

Perguntar é sempre útil, porque de todos temos sempre algo que aprender.

Sofrer o peso de uma dúvida, acrescido do peso de uma resposta dúbia ou falsa, provoca o desânimo e talvez a queda.

Todo pedido merece ser atendido com carinho, mesmo quando feito sem calma: nem sempre quem se afoga pode lembrar-se de etiquetas...

A caridade consiste em distribuir a todos o mesmo amor; entretanto, o perturbado que não consegue entender precisa de uma dose maior de entendimento.

37
Verbos úteis

Assiste, e compreende;
compreende, e releva;
releva, e ajuda;
ajuda, e consola;
consola, e edifica;
edifica, e sustenta;
sustenta, e fortalece;
fortalece, e vivifica;
vivifica, e serve;
serve, e perdoa;
perdoa, e ama;
ama, e dá;
dá, e esquece.

38
Ser

Não vale o que temos, nem o que sabemos, nem o que fazemos: vale o que *somos*.

Ser é a essência do indivíduo.

Um vaso pode *ter* moedas de ouro, pode *fazer* vista por sua beleza, mas *ser* de barro ordinário. Outro pode estar enlameado, sujo e amassado, e, no entanto, *ser* de ouro puríssimo.

Inegável que o segundo vale mais que o primeiro.

Jamais esqueçamos que Herodes era *rei*, e Jesus, *carpinteiro.*

Que Nero era *imperador* e Paulo, *prisioneiro.*

Não é parecer, tampouco é a opinião dos outros: é o que *somos* em nosso mais íntimo mundo espiritual.

Nem é ainda o que sentimos em nós e de nós, pois este sentimento, ao passar pelo eu inferior, pode transmudar-se em orgulho, banhar-se em nosso convencimento, enfeitar-se com a nossa vaidade e ficar totalmente retorcido.

Confesso que não saberia estabelecer um modo de sabermos o que somos, mesmo porque não há juiz em causa própria. Qualquer autojulgamento pode ser errôneo, ou, pelo menos, falho.

Mas talvez possamos ir, sabendo se estamos ficando melhores:

- se verificamos que aquele constrangimento que sentíamos diante de um antigo adversário já está desaparecendo, dando lugar a uma simpatia tão franca e aberta como quando estamos diante de um amigo de longos anos;
- se formos verificando que aqueles pensamentos que outrora surgiam em nossa mente diante de certas criaturas estão modificando e agora parecem pensamentos de santidade e piedade;

• se aos poucos comprovarmos que, diante da diabrura de uma criança, não mais sentimos aquela irritação antiga, mas, antes, nossa compreensão é mais clara e risonha, e sentimo-nos felizes com a felicidade da inocência;

• se lentamente descobrirmos que, ao darmos um encontrão, não mais somos assomados por aborrecimento, irritação ou raiva, mas que um sorriso espontâneo e sincero de bondade nos aflora aos lábios, vindo do coração;

• se dia a dia percebermos que diante das coisas mundanas não nos emocionamos mundanamente, mas sentimos divinamente em nós a comoção do amor divino através do mundo de Deus;

• se suavemente notarmos que realmente nada somos e nada sabemos, e que tudo o que temos nós o recebemos do alto, como dádiva generosa; sabendo colocar-nos diante das coisas na posição exata, sem magoar-nos com desprezos alheios, sem ressentir-nos quando formos passados para trás;

- e, finalmente, se aprendermos a receber injúrias e calúnias com a serenidade com a qual ouvimos um cão preso ladrar contra nós, não dando a menor importância porque nada nos atinge.

E tudo isso se o verificarmos sem envaidecer-nos, isto é, sem que nos julguemos humildes...

39
Gotas

As gotas que enchem um copo unem-se em seu interior e saciam a sede de uma criatura. No entanto, por mais brilhante e pura que seja a gota, se cair por terra sozinha tornar-se-á lama e para nada servirá.

A cooperação é a base da utilidade.

Dar é cooperar, é unir-se o doador à criatura que recebe por um elo que flui de um a outro e regressa ao primeiro.

Chame-se gratidão, retribuição ou ingratidão: o elo se estabelece e permanece.

Ao dar, liga-se o doador ao que recebe. E muitas vezes de tal forma se liga, que se funde. Quando uma gota se dá a outra, todas reunidas formam um todo.

Quando as gotas separadas caem sobre nós, molham-nos e nada mais.

Quando estão todas reunidas numa piscina, são capazes até de sustentar o nosso corpo, anulando a força da gravidade.

40
Atender sem descer

Quando desces à lama, cuidas em não chafurdar no lodo: pisas com todo o cuidado.

Quando te abaixas para apanhar algo na água empoçada, procuras segurar-te para não caíres na poça.

Quando te abaixas num parapeito a grande altura, chegas a amarrar-te com uma corda na cintura, para que não despenques precipício abaixo.

Assim, quando atenderes a certas criaturas, cuida de precaver-te para evitar contatos que possam amanhã trazer-te resgates dolorosos: vigia as palavras que proferes, para não seres mal-interpretado.

Caridade não é rebaixamento de nível nosso, mas elevação do companheiro desajustado.

Tolerância não é ceder às imposições apaixonadas de espíritos desequilibrados, mas esforço para reequilibrá-los pela mesma pauta que nos beneficia a alma.

Ajuda sem desajudar-te.

Atende sem decair.

Atenta para que, ao dares a mão a quem está no poço, não sejas tu puxado para o negro báratro; mas firma-te bem, para te sustentares a ti mesmo com segurança, e, além disso, poderes içar do abismo o irmão caído.

41
Orientação

Coração, não intelecto.
Sentir, não pesquisar.
Ouvir, não falar.
Fazer, não dizer.
Exemplificar, não explicar.
Praticar, não pregar.
Dar, não pedir.
Levar, não mandar.
Acudir, não suplicar.
Socorrer, não aguardar.
Visitar, não esperar visitas.
Ensinar, não aprender apenas.
Abrigar, não pedir abrigo.
Atender, não fazer esperar.

Ir buscar o pobre, não aguardar que ele venha.

Abrir a porta do coração.

Levar sua pessoa ao tugúrio da miséria.

Confortar o enfermo em seu leito.

Ajudar o mendigo em sua tapera.

Penetrar os umbrais dos hospitais e hospícios.

Buscar os desvalidos que dormem nas sarjetas.

Consolar os velhinhos nos asilos.

Levar presentes e sorrisos às crianças nos abrigos.

Fazer, realizar, executar, exemplificar: imitar Jesus, e não apenas falar, falar, falar...

Palavras, leva-as o vento...

42
Os deveres

O amor supera tudo, mas as obrigações executadas são o amor em prática.

A caridade é a maior das virtudes; todavia, os deveres bem-cumpridos são a maior caridade viva.

A humildade é virtude sublime; entretanto, a tarefa bem-realizada é humildade real em plena florescência.

A dedicação ao próximo é o mais belo dom de si; contudo, o serviço bem-feito, com capricho, é a dedicação lídima que nos enobrece.

O perdão é a mais excelsa superação de si mesmo; porém, o trabalho integralizado com afinco é o maior perdão que damos às circunstâncias adversas.

A penitência é virtude excelsa; no entanto, o labor diário é a mais feliz das penitências, que purga nossos delitos passados.

A oração é a mais elevada forma de união com Deus, mas as obrigações diárias bem-praticadas, por mais materiais que sejam, constituem a oração mais sublime que se possa elevar da terra.

43
Meta

Sê bom agora, na medida em que foste mau ontem.

Segue o caminho corajosamente, com a mesma decisão com que paraste.

Ajuda teus irmãos hoje com a mesma generosidade com que ontem foste ajudado.

Aconselha para o bem, como foste aconselhado.

Ama a todos, como foste amado.

Na estrada do mal há facilidades, porque é descida ou parada à beira do caminho. Mas a jornada do bem apresenta muitos óbices, porque é subida:

o caminho é infinito;
a ladeira é íngreme;

a escalada é árdua;
os precipícios tonteiam;
os alcantilados esmagam;
os abismos atraem;
os seixos rolam a nossos pés;
as pedras os fazem sangrar;
o cansaço domina;
a respiração é ofegante;
o desânimo invade-nos;
a dor atormenta-nos;
o sofrimento martiriza;
a sede sufoca-nos;
o sono quer fazer-nos parar;
as forças fraquejam;
as fraquezas agigantam-se;
o medo apavora-nos;
o mundo nos chama com sorrisos...

Mas se no fundo da estrada está Jesus que nos abre os braços, e dele é que haveremos de receber o prêmio de todos os esforços que fazemos – sejam quantos forem – nada devemos temer: Ele é o início e o fim de tudo.

Ele é o maior prêmio a que possamos aspirar!...

44
Motivos

Desperta, que o sono paralisa;
age, que a inércia nada produz;
esforça-te, que a jornada é longa;
aguarda, que tudo tem a sua hora;
trabalha, que a ociosidade mata;
iluminar-te, que as trevas desnorteiam;
ensina, que irás aprendendo;
controla-te, que conseguirás vencer;
dá muito, que receberás multiplicado;
ajuda-te, que Deus não falha.

45
Caminho

“O amor é o vínculo da perfeição” (Cl 3,14). “Sede perfeitos como perfeito é vosso Pai celestial” (Mt 5,48). “Deus é amor” (1Jo 4,8).

“O Cristo é o caminho porque ninguém vai ao Pai senão por Ele” (Jo 14,6).

“Quero que sejais um comigo, como Eu sou um com o Pai” (Jo 17,22).

O caminho está à nossa frente, aberto. Jesus, de braços estendidos, aguarda-nos para conduzir-nos ao Pai. Para isso largou o invólucro físico nessa posição e, mais ainda, ao alto, para que todos o vissem.

O caminho que Ele exemplificou é o do aperfeiçoamento próprio, da vitória sobre nós mesmos.

Jesus é o caminho: "Quem quiser ser meu discípulo, renuncie a si mesmo, tome sua cruz e siga-me" (Mt 16,24).

Renuncie a si mesmo, até poder dizer como Paulo: "Não sou mais eu que vivo: é Cristo que vive em mim" (Gl 2,20).

O Cristo é o caminho: "O Reino dos Céus é semelhante ao homem que possuía muitas pedras preciosas. Sabendo onde se encontrava uma de grande valor, vendeu todas as que tinha [sabedoria humana polimorfa] para comprar aquela [sabedoria divina]" (Mt 13,46).

O Cristo é o caminho: "Eu sou manso e humilde de coração" (Mt 11,29).

"Credes no Pai? Crede em mim também" (Jo 14,1).

Jesus é o caminho na humildade da manjedoura e na simplicidade de Nazaré; na paciência com os enfermos e na caridade com os obsedados; na vitória sobre as tentações de orgulho, de vaidade e de ambições, assim como no sofrimento da cruz.

Jesus é o caminho que os três magos foram buscar para continuar sua evolução espiritual.

Jesus é o caminho, porque Ele é o *exemplo* maravilhoso que se deixou imolar para dizer-nos que só pela dor poderíamos sair de nossos ambientes pesados, para subidas evolutivas.

Jesus é o caminho, na cruz como no despertar, no nascimento do homem novo que manifesta o Cristo através de sua personalidade, pois "somos o templo de Deus e o tabernáculo do Espírito Santo" (1Cor 3,16).

46
Com Jesus

Com Jesus
a fraqueza é força;
a pobreza é riqueza;
a deficiência é suprimento;
a dor é remédio;
o sofrimento é alívio;
o silêncio é pregação;
a derrota é vitória;
a humilhação é sublimação;
a calúnia é elogio;
a perseguição é engrandecimento
a guerra externa é paz interna;
a penúria é abundância;
a fome é alimento;
a sede é conforto;
o trabalho é repouso;

o cansaço é renovação;
as trevas são luzes;
o castigo é recompensa;
a vergonha é glória;
o inferno é céu;
a morte é vida.

47
Súplicas

Chama-nos teu amor: ensina-nos a responder a ele, através do serviço ao próximo!

Ilumina-nos tua luz: ajuda-nos a manter-nos limpos, para refleti-la sobre todos os que passam a nosso lado!

Vivifica-nos teu hálito: faze-nos canais purificados, a fim de distribuí-lo aos que de nós se aproximem!

Impele-nos teu ardor: fornece-nos a energia indispensável para corresponder ao avanço de teus impulsos!

Alerta-nos tua misericórdia: supre com tua compaixão a dureza de nosso egoísmo e o vazio de nossa vaidade!

Fortifica-nos tua força: torna-nos participantes dela, para que possamos extirpar nossos vícios e dominar nossos defeitos!

Vive em nós tua vida: aumenta-nos a fé, revigora-nos a esperança, acresce nosso fluido vital, a fim de conseguirmos distribuir nossa vida no amor vivo, que nos constrange a darnos sem limites!

48
Do menos ao mais

A fraqueza é o início da força.

A dúvida é a busca da fé.

A queda é a causa do levantar-se.

A indecisão é a porta da resolução.

A ignorância é o primeiro degrau do saber.

A curiosidade é o pórtico do aprendizado.

A revolta é o motivo da futura resignação.

O egoísmo é o passo inicial do amor.

O orgulho é a ladeira que desce até a humanidade.

A sensualidade é o aprendizado do amor universal.

A noite é a matriz donde nasce o dia.

O sofrimento do enfermo é o princípio da esperança da cura.

A montanha eleva-se a partir da planície.

A virtude nasce de um vício corrigido.

A bonança chega após a procela.

A primavera promana do inverno.

O sol aparece depois da escuridão.

O repouso é mais sentido após a estafa.

A saciedade é o apaziguamento da fome.

O sono é mais reparador quando o dia foi trabalhoso.

O silêncio descansa mais depois do barulho.

O encontro do ser amado é mais alegre após a saudade da ausência.

Em tudo encontramos a lei dos contrários, fazendo surgir o bom do mau, o claro do escuro, pois em toda subida há uma transição obrigatória.

Nessa transição é que se encontra o segredo da vitória.

Se soubermos caminhar com segurança, sem escorregões, teremos atingido em pouco tempo o ponto almejado.

Cuidemos, então, para que a rota não se transforme em derrota.

Abramos os olhos para que o caminho não se torne precipício.

Rumo acima, subindo sempre, sempre avante!

Olhemos para a meta, não para o início da caminhada.

Se agora estamos no crepúsculo matutino, por que recordar-nos da noite, ao invés de abençoar o dia que surge?

Se a estiagem começa, por que revivermos a tempestade, em vez de aguardar o sol que se prenuncia?

Se nos encontramos no meio da encosta, por que chorar pelo paul, ao invés de sorrir para o pico altaneiro?

Se começamos a caminhada na senda virtuosa, iluminada de conhecimento, não olhemos mais para o lodo, nas trevas da ignorância: libertemo-nos e subamos para a Luz, com amor no coração.

49
Prudência

Suprir as necessidades alheias e atender aos rogos do próximo não é situar-se no mesmo plano que ele, mas estender mãos caridosas que procuram erguer os que caminham abaixo de nós.

Nem sempre conseguimos satisfazer às necessidades dos mendigos de dinheiro, como muito dificilmente conseguiremos satisfazer às exigências dos mendigos de amor.

Olha a vida com probidade e sisudez, com calma e descortino, com equilíbrio e bom-senso.

Se te pedissem milhões, não os terias para dar. Por que, se te pedem o coração, serás obrigado a sacrificar teu futuro só para dá-lo?

O amor divino, amplo, universal é um só na vida, e a este devemos guardar fidelidade, custe-nos isso lágrimas de sangue.

Recupera-te corajosamente porque ainda é tempo. Guarda cioso teu coração, de aventuras novas e velhas, para que em tua alma a pureza se manifeste límpida, a fim de amanhã poderes saciar a única alma gêmea que de direito divino aguarda o teu amor total.

Recupera-te o mais depressa e com a maior firmeza de que fores capaz, e não te preocupes se lágrimas forem derramadas porque ninguém sofre senão aquilo que determinado lhe for pela consequência de seus próprios atos.

Pensa em teu futuro e resiste a todos os ataques, por mais violentos e ferinos que sejam.

Arma teu coração com a couraça da fé e da confiança e segue avante, impávido e intimorato, porque numa curva próxima da estrada depararás a alma que te aguarda de braços abertos.

50
Prece

Senhor, não sou digno de seguir teu olhar; no entanto, vives dentro de mim.

Pai, não mereço nem mesmo viver; entretanto cumulas-me de benefícios.

Mestre, ensurdecido pela gritaria do mundo, mal ouço tua voz; todavia não cessas de ditar-me tua orientação.

Divino doador, nada valho; tua bondade infinita, porém, não cessa de galardoar-me com as mais preciosas bênçãos.

Médico celeste, apesar de minha incurável lepra moral, não cessas de fornecer-me remédios para meu alívio.

Amigo, ajuda-me a melhorar, para ser digno de tua graça.

51
Não esmoreças

Tudo te está sendo dado para cumprires tua tarefa. Vê se aproveitas o ensejo que te é oferecido e deixa um pouco teus prazeres pessoais para dedicar-te às incumbências de que te encarregaste.

Leva a tua "mensagem a Garcia", custe o que custar. Podem desmoronar-se todos os teus amores, podem afastar-se os teus amigos, podem caluniar-te todos os adversários: segue!

Está agora em tuas mãos a tocha que acabas de receber, para passares a teu sucessor dentro de algum tempo. Não permitas que sua luz se apague enquanto estiver em tuas mãos. Não deixes que as trevas envolvam as criaturas enquanto fores tu o Lúcifer encarregado do farol.

Se por causa desta tarefa que te é confiada – já em quase toda a sua plenitude – houver lutas, brigas, afastamentos, incompreensões, desgostos... abençoa a Deus porque permitiu que a tua tarefa fosse regada por tuas lágrimas, e, portanto, mais adubada, para que melhor cresça.

Nada perguntes: aceita e obedece. E não te esqueças de que a tocha foi entregue *em tuas mãos.* Cuida dela, custe sangue: *és o responsável!*

Não estás com a tocha para ajudar a apadrinhados, e sim para distribuir luz por todos.

Aceita, ajuda e esquece.

Dá, sem nada pedir!

52
Solução

Não é o fim que traz a solução; ao contrário, a solução é que determina o fim do problema.

Nem sempre a solução consiste na vitória nossa: por vezes a nossa melhor solução é a derrota fragorosa.

Solução não é apenas tranquilidade serena, mas o passo dado à frente no sentido da evolução.

Soluções parciais, por vezes, são a chave da vitória final: no problema procuramos resolver cada incógnita separadamente.

Mas em todos os problemas a solução só se impõe quando todas as incógnitas e incertezas são esclarecidas: se uma só restar, por menor que seja, o problema não se acha solucionado.

Há soluções que findam apenas uma etapa; mas essas soluções parciais reclamam outras mais amplas e profundas.

Jamais deve satisfazer-nos uma solução parcial ou incompleta, pois a solução só pode ter tal nome se for *total*.

A violência não é solução: a espada de Alexandre cortou, mas não solucionou o nó górdio.

Solução apressada pode falsear dados importantes, levando a erros irreparáveis: a *calma* é a base essencial para qualquer solução difícil.

53
Graça

Inegavelmente toda boa obra provém de Deus, pois a inteligência infinita, vivendo em nós, determina o impulso inicial para a realização do bem.

Somos, pois, impulsionados para a conquista do bem pelo próprio *Primum movens*, que constitui nossa substância íntima.

Todavia, nossa parte mental concreta pode aceitar ou repelir, acatar ou rejeitar o impulso; e, desse ponto em diante, a responsabilidade é colocada em nossas mãos.

Temos, então, o merecimento da aceitação e da resposta favorável à graça recebida – ou a responsabilidade exclusivamente nossa de sua rejeição.

Tudo se esclarece quando compreendemos a realidade do Deus interno, do Deus imanente a tudo.

E que o cristianismo preza essa doutrina, nós o sabemos desde os evangelhos e as epístolas de Paulo, que nos dizem sermos o templo de Deus.

Com a evolução as grandes teorias se esclarecem. E verificamos que os antigos percebiam a verdade, embora não a soubessem expor nem explicar racionalmente, por causa da má compreensão das premissas.

Resta-nos aproveitar o raciocínio, a fim de convencer-nos, de fato, do que se passa, e procurar nossa melhoria para que Deus, que habita em nós, possa exteriorizar-se e manifestar-se por nosso intermédio.

54
Escolhe

Amigo, conheces o certo e o errado, o pequeno e o grande, o material e o espiritual: não poderás, pois, alegar ignorância nem desculpar-te com falta de advertências.

Sabes como agir e o que fazer. Sabes o que deseja Cristo e o que o mundo quer. Escolhe por ti mesmo o que preferes: Cristo, com a dor, ou o mundo com suas alegrias.

Mas vê bem, não te iludas: com Cristo, haverá a dor externa (na personalidade), mas a insuperável alegria interna (no *eu* superior); com o mundo, haverá o inverso: a personalidade será por todos festejada e sorrirá, enquanto a dor íntima roerá o espírito.

Escolhe: o eterno ou o transitório; o real ou o fictício; o verdadeiro ou o ilusório; o finito ou o infinito.

Confia em Deus que está dentro de ti e jamais te abandona, e segue à frente.

Deus está em nós, e nós estamos em Deus.

Deus é amor, e onde está o amor, está Deus integralmente.

55
Graus

Num grau evolutivo determinado ocorrem modificações profundas que nos fazem estranhar coisas que inesperadamente acontecem.

Assim, descobrimos capacidades antes ignoradas ou verificamos perda de capacidades outrora dignas de nota.

O responsável por qualquer modificação é a própria mente que se adapta às necessidades circunstanciais para aproveitar ao máximo a colheita de dados para o progresso.

O grande fator de aproveitamento é a aceitação do que ocorre, com a atenção alerta, para evitar desperdícios ou abusos.

Se a caminhada é longa e os passos são curtos, as vantagens devem ser colecionadas com usura, para delas se recolherem avanços maiores.

Temos, pois, se bem que acenadas apenas, as causas e os efeitos; resta, na aplicação, o máximo de boa vontade e de coragem.

A subida e a melhoria dependem de todo esse conjunto complexo.

Mas, de qualquer forma, a montanha tem de ser escalada, embora à custa de lágrimas.

56

Prossegue

Na grande caminhada há pedras de tropeço que nos impedem continuar a viagem. Mas outras existem que nos ajudam a prosseguir mais rapidamente.

A luta que se esboçou foi o início do combate: há muito mais que sofrer, e, se não houver força e união para a defesa, pode tudo ruir como um castelo de cartas.

Prepara-te para o pior e arma-te para a luta. De todos os lados virão laços para prender os homens de boa vontade.

Deves preparar-te, vigilante e em oração, porque do seio mesmo daqueles que nos cercam podem advir os piores ataques.

Sê forte e exigente no cumprimento de tudo o que te for confiado.

Sê preciso e claro em teu agir.

Lança-te ao trabalho, porque de teu trabalho depende boa parte do êxito da obra.

Não te deixes envolver por pensamentos de desânimo nem de mágoa.

Humildade e desprendimento.

Sacrifício e renúncia.

Só assim, aparentemente derrotado pelo mundo, terás assegurada a vitória com Cristo.

Segue adiante: todos os meios te chegarão.

Confia e ora.

57
Soldados

Sempre na luta, atrás das trincheiras, prontos ao combate, alerta, vigilantes... permaneçamos à disposição das ordens dos generais que nos comandam, de prontidão absoluta e severa.

Não podemos escolher o campo de batalha, as armas, o inimigo nem os companheiros de luta: prontos, em serviço!

O campo em que estamos é aquele exatamente no qual temos de nos movimentar; seja ele pedregoso ou arenoso, com pântanos ou deserto, nele temos de terçar armas.

Os companheiros que nos rodeiam são precisamente aqueles que, a nosso lado, foram colocados pelos comandos: não nos cabe escolher, mas utilizá-los conforme as capacidades deles e as nossas, aproveitando tudo ao máximo.

As armas são as que o exército possui, aquelas que pode fornecer no momento. Se não tivermos um canhão, lutemos com um canivete.

Essa tem de ser a nossa disposição de ânimo nos combates da vida.

58
Adiamento

No fogo sublime da luz eterna, quais pontos sombrios, buscamos a transparência de nossa matéria, na purificação da ganga que nos reveste.

Almas endividadas por descuidos e irresponsabilidades, renegando encargos que nossa imprevidência criou quais cargas pesadas e incômodas, costumamos acrescentar mais negrume em nosso redor, ao invés de descarregá-lo.

Sendo nosso coração a sede do amor, queremos atrair os outros a nós, em vez de derramar o que de nós se irradia sobre os outros.

E, dessa forma, permitimos que o egoísmo corte a sintonia com o amor universal, carreando cargas para nós mesmos, sem o cuidado de lançar fora o peso que nos atrasa a caminhada.

Amigo, surge de tuas trevas interiores revestidas de egoísmo, e dirige-te à luz infinita que permeia os universos que são a pura cristalização da luz.

Não é a matéria que atrasa a caminhada: é o próprio atraso do espírito da jornada eterna.

59
Retribuições

Tudo o que recebemos nos vem sob forma de doação.

Tudo o que damos recebemos de volta sob forma de retribuição.

A doação que recebemos aumenta nosso acervo na medida de nossa capacidade de armazenamento.

A retribuição que recebemos, pelo benefício dado, aumenta nosso acervo por si mesmo.

Se o que nos dão é útil, o que nos vem como retribuição nos é necessário e vai acrescer o capital.

Se a doação que nos chega vale *ex opere operantis*, a retribuição vale *ex opere operato.*

Se a doação é um capital determinado, a retribuição é capital dobrado.

Ora, sabendo que quanto mais damos mais recebemos, verificaremos, de outro lado, que a retribuição é uma garantia de capital que vai aumentando tanto mais quanto mais tenhamos despendido.

Quanto mais o negociante dá, em moeda, tanto mais recebe em mercadorias que ele armazena.

Quanto menos dá, menos recebe.

E assim melhor entenderemos que "a quem mais tem mais será dado (retribuição) e a quem pouco tem (portanto não dá) nada será dado, e até o pouco que tem lhe será tirado" (Mt 25,29) porque se perde num armazenamento improdutivo.

60

Oração

Oferta ao Senhor o teu ser, com todos os defeitos que tuas deficiências produzem, e dize-lhe:

Ordena, Senhor, por meio das circunstâncias que se nos deparam, que obedeceremos de acordo com teus ensinamentos diante de cada situação.

Seja feita a tua vontade em tudo e sempre, e não meus desejos fátuos e ambiciosos que só veem a matéria neste transcurso terrestre.

Que possamos libertar-nos da transitoriedade desta vida, compreendendo a verdadeira e eterna vida de nosso ser eterno.

Que olhemos todas as coisas e ocorrências na perspectiva da evolução constante de nosso espírito.

Nada nos faça perder de vista o teu amor impessoal e o nosso progresso eterno no rumo desse mesmo amor.

Sejam em nós vencidos os impulsos personalísticos e mesquinhos referentes a uma vida passageira e curta, para conformarmos nossa visão ao prisma sempiterno e ilimitado.

Que todos e tudo sejam por nós sentidos como a extensão no espaço e no tempo de nosso próprio eu, que é uma centelha de Deus.

61
A tônica

Se o amor não constituir a tônica permanente de nossa vida, nada poderemos conseguir no progresso.

Só o amor faz evoluir para o infinito, sintonizando com o Pai, que é amor.

Em qualquer plano, em qualquer grau da escada, amor é sempre sintonia.

Qualquer movimento de malquerença, desconfiança, crítica, aborrecimento, antipatia, raiva, desejo de vingança ou combate e ódio abre um abismo de dessintonização com o Pai.

A consequência é sempre a mesma: longe de Deus, as trevas e a fria cristalização na matéria.

Deus é amor, e com seu amor sustém os universos.

Deus é luz, e a luz é o amor de Deus que se expande pelo cosmo e, condensando-se, cria os mundos, plasmando-os em formas que nos parecem opacas à retina.

Mas todas as coisas são condensação da energia; a energia é a condensação da luz, e a luz é a manifestação do amor.

Por isso, o amor jamais pode ficar oculto, porque o amor é luz, e a luz ilumina onde quer que se encontre.

Mergulha no amor e acharás Deus.

Vive o amor e viverás Deus.

Abandona-te cegamente ao amor e mergulharás em Deus.

Ama de todo o coração e pensamento e Deus viverá em ti.

Expande teu amor sem peias e sem medo, e Deus será tua força.

Dá tudo ao amor e de Deus receberás tudo, porque receberás o próprio Deus.

Não temas amar, jamais, porque amar é viver em Deus.

Não temas ceder ao amor, esvaziando-te, porque o infinito divino encherá o teu vazio.

62
Não é...

Ordem não é arrumação, como virtude não é aparência.

Oração não são palavras, como amor não é tato.

Reforma não é envernizamento, como estudo não é leitura.

Caridade não é só "dar", como humildade não é abaixar-se.

Bondade não é mansidão que se omite, como alegria não é riso.

Felicidade não é ócio, como dor não é choro.

63
Ama!

Queres melhorar tua espiritualidade? Ama!

Queres receber as bênçãos do Pai? Ama!

Queres ajudar aos que contigo ombreiam na estrada? Ama!

Queres distribuir benefícios aos que sofrem? Ama!

Queres ser perdoado dos erros que cometeste? Ama!

Queres purificar-te das culpas do pretérito? Ama!

Queres libertar-te das peias dos vícios? Ama!

Queres apagar as ofensas que fizeste ou que te fizeram? Ama!

Queres esquecer as calúnias que te feriram? Ama!

Queres ser bom e perfeito como o Pai celestial? Ama!

Queres aprender o segredo da grande iniciação? Ama!

Queres evoluir em todos os sentidos físicos e espirituais? Ama!

Queres desfazer as amarras da carne que te punge? Ama!

Queres adquirir as virtudes heroicas no grau mais elevado? Ama!

Queres atingir a perfeição máxima de Cristo na Terra? Ama!

Queres curar chagas, aliviar dores, iluminar trevas? Ama!

Queres conseguir a eloquência que convence os empedernidos? Ama!

Queres conquistar o dom da profecia e da clarividência! Ama!

Queres enxugar as lágrimas dos que choram? Ama!

Queres morar na felicidade para sempre? Ama!

Ama! Ama sempre! Ama tudo em Deus e ama Deus em tudo!

64
Novo dia

Cada dia é nova oportunidade a felicitar-nos a ascensão, qual novo nascimento para renovação de experiências abençoadas.

Aproveita, pois, as horas de luz para aumentar tua iluminação interior, com a aquisição de experiências e realização de trabalhos.

Renova-te cada manhã, com o novo sol que desponta límpido, após o repouso da noite, como a atmosfera lavada pelo banho crepuscular do orvalho.

Lembra teus deveres à frente das tarefas que te foram cometidas, e desincumbe-te com desembaraço e amor na conquista do pão cotidiano.

Observa quantos a teu lado caminham, com o mesmo objetivo que o teu, e dá-lhes a mão benéfica que ajuda e sustenta.

Semeia durante toda a jornada os bens que se extravasam de natureza e de tua alma, e reflete a luz que sobre ti recai, pura e transparente, de regiões mais altas.

65
Diretivas

Está atento.
Acima de tudo, ama.
Antes de tudo, serve.
Mais do que tudo, ora.
A todo instante, vigia.
Mede tuas palavras.
Sê firme, com suavidade.
Sê enérgico, com doçura.
Sê claro, sem ferir.
Sê bom, sem frouxidão.
Responde e indaga, sem medo.
Esclarece, sem má vontade.
Argúi, sem sarcasmo nem curiosidade.

Liga-te à fonte inesgotável de todo o bem e o bem, sendo tua meta, será também teu caminho seguro e reto

Ouve com atenção.

Responde com delicadeza.

Perdoa com generosidade.

Ama com emoção.

Compreende com amor.

Todos somos criaturas dignas de compaixão: tem-na com os outros, no mesmo grau que desejas seja usada contigo.

Ama! Serve! E passa em silêncio!

66
No abismo

Quando mais pessimista está o espírito, abre-se o céu e um raio de luz de novo te ilumina o âmago.

Quando mais profundamente mergulhado na lama, o espírito bate numa pedra onde possa fixar o pé, para reiniciar a subida à superfície.

Quando mais perdido no oceano revolto entre ondas encapeladas, o espírito depara uma tábua de salvação onde agarrar-se, para evitar o naufrágio e chegar outra vez ao litoral.

Quando em desespero, pendurado em frágil galho no topo de um precipício, desce do céu a corda para içar novamente o espírito exausto.

Quando, despedaçado pelas feras da calúnia e rasgado pelos ferros do martírio, está o espírito a sucumbir de dor, surge em teu íntimo o sol de luz, para erguer-te finalmente às altas esferas espirituais, no gozo da vitória.

Jamais desanimes, pois, por mais fundo no abismo penses estar, é no ponto mais baixo da humildade que melhor se ouve a voz de Deus.

67
Calvário

Prepara tuas sandálias para a caminhada através do deserto...

A poeira das estradas levanta-se e encobre o vulto que marcha...

Os cabelos emplastram-se entre pó e suor...

Vermelhos os olhos, injetados de sangue, ardentes de ofuscação, as pernas inchadas, ingurgitadas de sangue e toxinas...

O corpo arrebentando-se de cansaço, a mente confusa, as emoções desencontradas...

Essa é a figura dos homens que percorrem as sendas da terra!

O viajor eterno que toma este veículo de carne sabe que terá que arrostar todos esses percalços.

Mas, apesar de tudo, desce de boa vontade e até com entusiasmo ao planeta, para poder adiantar-se na caminhada cheia de labor, mas também de glória.

Deparando aqui as dificuldades, compreende que são incentivos à depuração de seus defeitos e vence-as com destemor e galhardia.

Ao ver-se, no fim da estrada, com as vestes em frangalhos, o corpo estafado e as feridas sangrando, descobrirá que os trapos sujos se transformaram em manto de luz; que os cabelos empastados de suor e poeira se transmudaram em auréolas douradas; e que cada ferida é uma cicatriz luminosa, compensando-o largamente das fadigas suportadas durante a ascensão ao monte supremo: é a glória da ressurreição após o martírio da cruz, no topo do calvário.

68

Condições

Sem ferir a pedra não se produzirá a estátua.

Sem rasgar o solo não se fará o plantio.

Sem sufocar a semente na cova úmida não germinará a planta.

Sem golpear a árvore não se terá a mobília.

Sem romper o ovo não nascerá a ave.

Sem moer o trigo não se terá a farinha.

Sem cozinhar a farinha no fogo não se terá o pão.

Sem sofrimento jamais terá o homem progresso.

69
Responsabilidade

Duro é recalcitrar contra o aguilhão, mormente quando este é o sofrimento que redime.

Aguarda o despertar do sol após o temporário afastamento de uma noite. Nesse ínterim, deixa que as estrelas brilhem.

O sofrimento e a angústia que nos irritam trazem bônus ou bilhetes de chamada.

Uma lágrima do coração lava melhor nosso erro que toda a água dos oceanos.

Não fujas à responsabilidade de teus atos, nem procures desculpá-los para justificar-te.

Não chega fora do tempo próprio. A fruta, comida verde, dá cica aos dentes; se depois da época, está podre. Só quando madura é gostosa e aproveitada. Todo tempo traz em si o amadurecimento dos frutos próprios.

O desejo pensado é ato mental realizado. Para a realização não há necessidade do ato material, pois o pensamento é mais real que o físico.

O resultado de nossas ações é por vezes demorado, mas não falha.

A colheita oportuna é riqueza. A que é feita fora de época se estraga.

70
Passado e futuro

Rever o passado é recordar. Mas, às vezes, a recordação traz o travo amargo de uma experiência fracassada.

Recordar ações passadas serve, por vezes, de lição para o futuro.

A recompensa não é algo que vem de fora, para nos ser acrescentado: é algo que cresce dentro de nós mesmos, como a árvore da semente.

Semente boa em terreno bem-cuidado produz árvores boas: é o prêmio.

Semente má, em terreno sáfaro e pedregoso, produz arbustos mirrados: é o castigo.

Que te aguarda no futuro? Se não o sabes com certeza, observa qual a plantação que fazes. Que estás plantando? Lírios? Colherás lírios! Rosas? Colherás rosas! Mas pensaste nos espinhos? As rosas são belas e formosas, mas ferem e dilaceram, fazendo sangrar. Plantas cardos? Por que és tão tolo que o faças?

Teu futuro será como tu o quiseres. Se queres amor e felicidade, vive de sacrifício para servir e de amor para dar, e essas sementes renderão cem por um.

71
Colheita

Não há efeito sem causa: tudo tem seu motivo.

Não há espinheiro sem plantio anterior: só a semente pode produzir a planta.

Recapitular a lição é mais desagradável a quem sabe menos.

Há efeitos dolorosos de erros que praticaste e que te estão sendo cobrados desde já. E, quanto mais cedo pagamos, melhor.

Todo homem é crucificado quando cravado no corpo físico. De seu comportamento, nessa cruz, dependerá sua ressurreição amanhã.

Cada vez que descemos à matéria, encontramos a dor.

A visita da dor chega com desagrado do visitado; mas, quando sai, deixa luz em seu rasto.

O resultado de qualquer coisa tem que ser idêntico à causa que o moveu.

Se o resultado é a dor, a causa forçosamente foi um erro.

Se foste tu que plantaste, mesmo com outro nome, e se a colheita vem às tuas mãos, recebe--a de boa vontade.

Os laços negativos amarrados por nós só por nós podem ser desfeitos.

Não pode haver comparação entre os milênios da vida de um espírito e os poucos anos de permanência na Terra de um corpo.

A dor causada por nós em outrem, nós a sentiremos, amanhã, em nós mesmos, porque todos somos *um*.

A responsabilidade que sobre nós pesa reflete o passado. As agruras que sofremos são frutos amargos que plantamos. Quem faz a plantação deve recolher os frutos, doces ou amargos, não apenas como direito, mas como *dever*.

Então, amigo, vigia!

Por que deixas aberta a porta por onde penetram teus inimigos? Sabes fechar à chave tuas coisas terrenas, que cuidadosamente guardas, e deixas às escâncaras as entradas do mais precioso tesouro que és tu mesmo?

Defendes os anéis e perdes os dedos... para que te servirão os anéis?

72
Irmãos

Temos irmãos numerosos em todos os planos da natureza, desde as rochas sonolentas até os serafins celestes.

A todos devemos amar e enviar eflúvios de amor e paz, para deles receber vibrações de tranquilidade e harmonia.

A atração das moléculas é uma força que dimana da divindade, que busca reunir novamente as partículas que se dispersaram. Deus se manifesta sempre na atração: tudo o que é repulsão é diabólico, isto é, afastamento de Deus.

Em todos os reinos da natureza, Deus se manifesta pela atração, pela coesão, pela simpatia e pelo amor.

Todo serviço requer amor.

O amante dá, enquanto o mercenário cobra.

O amor distribui, enquanto o egoísmo recolhe.

O amor se entrega, enquanto a vaidade se exalta.

O amor constrói, enquanto o ódio destrói.

O amor envolve, enquanto a raiva escoiceia.

O amor inflama, enquanto a indiferença gela.

O amor levanta, enquanto a frieza joga ao chão.

Distribui amor em constante irradiação, que parta de teu coração, e os eflúvios que de ti partirem anularão todas as investidas do mal e dos maus.

O amor que impõe identidade de opiniões é tirania.

O amor é a força mais poderosa do homem e resolve todos os seus problemas, porque é a mais humilde: dá sempre, sem nada pedir.

O amor destrói, com suas vibrações de alta frequência em onda curta, as vibrações de baixa frequência que suportamos em nossa carne.

O amor é o perdão total porque o "amor cobre a multidão de pecados" (1Pd 4,8). A quem ama tudo lhe é perdoado, pois "muitos pecados lhe são perdoados, porque muito amou" (Lc 7,47).

O amor é o perdão e a anulação de todos os erros, porque Deus é amor.

O amor é a alavanca e o ponto de apoio; o ponto de partida e o ponto de chegada; o princípio, o meio e o fim, porque o amor é Deus.

Qualquer que seja a manifestação de amor – se for amor verdadeiro e não apenas desejo ou paixão – é a mais pura manifestação divina.

73
Adversativas

Não é o desejo que pede, mas o amor que dá, que nos sintoniza com o Pai.

Não é a obediência em si que eleva, mas o saber como e a quem obedecer.

Não é a resignação em si que constitui virtude, mas a sintonia com a vontade do alto.

Não é o trabalho em si que produz benefícios, mas o serviço seriamente conduzido para o bem.

Não é a paralisia da estagnação que satisfaz a alma, mas a paz que se conquista na luta contra o próprio passado do eu inferior.

Não é o rebaixamento em si que constitui humildade, mas o reconhecimento do próprio estado espiritual.

Não é o silêncio que forja místicos, mas a elevação da alma às vibrações superiores.

Não é a simplicidade externa que representa a virtude, mas a cessação das complexidades inúteis.

Não é a força externa que exprime vitalidade; o maior vigor é produzido pela humildade.

Não é o conquistador de formas que é vitorioso, mas o que renuncia à forma para atingir a essência.

Não é a violência que domina, mas a modéstia e a bondade, pois há mais força num bem que em todos os males do universo.

Não é o riso que exprime alegria, mas a paz da consciência tranquila.

Não é a tristeza que eleva, mas a compreensão da dor como buriladora.

Não é a busca ou a provocação da dor e do sacrifício que purificam, mas a aceitação daqueles que a nós vêm sem os buscarmos: o supremo artífice é sábio e corrige exatamente onde há necessidade de conserto.

Não são as aparências que valem, mas a realidade profunda do coração, pois não é o *hábito* que faz o monge, mas os *hábitos* que ele tem.

Saber é bom. Fazer é ótimo. Mas "ser" é que tem real valor para o espírito.

74
Imperativos

Não desanime jamais: mantenha acesa a chama de seu ideal.

Tenha coragem: você vencerá todas as dificuldades.

Leia mais: o bom livro é o nosso melhor amigo.

Aproveite o momento presente: comece a construir seu futuro.

Não perca sua serenidade: conserve a paz interna.

Trabalhe com amor: do trabalho depende seu futuro.

Tenha paciência: a irritação estraga a saúde.

Cultive o otimismo: a alegria é o segredo da vitória.

Seja alegre: a vida continua sempre, já que a morte não existe.

Proteja as crianças: dê-lhes o que desejaria para si.

Procure Deus: Ele habita dentro do seu coração.

Acenda sua luz: ilumine a todos com seu otimismo.

Viva sorridente: a vida é um canto eterno de beleza.

Não pare: cada degrau da subida é uma vitória.

Faça seu filho orgulhar-se de você: dê-lhe exemplos vivos de honradez, trabalho e bondade.

Obedeça à sua consciência: é por ela que Deus nos fala.

Diga palavras de conforto: o carinho ajuda mais que um fortificante.

75
Renúncia

Ninguém pode dar mais do que tem: o amor é dado na medida em que existe em nosso coração.

Amor é renúncia. Então, renuncia para amar, ou seja, ama, renunciando.

Querer é egoísmo, dar é amor: quem ama, dá e nada pede.

Na renúncia acharás a verdadeira beleza e o supremo gozo do amor. Ainda mais, porque o gosto da vitória sobre si mesmo é dos mais saborosos ao paladar.

Não queiras receber aquilo que não mereces: procura primeiro *dar*, dar sem medidas e sem reserva, e receberás no momento oportuno.

Suporta tudo com amor cada vez maior: no amor está o segredo.

Segue adiante sem pedir.

Sofre sem reclamar.

Não exijas reconhecimento nem retribuição.

Deixa a cada criatura o direito de escolher a estrada que queira: se Deus assim age, quem és tu para pretender agir mais acertadamente?

76
O discípulo

A confiança faz-nos depositar nosso ser nas mãos do Mestre.

O mestre só pode modelar o aluno que nele confia.

Confiar é entregar-se totalmente, e não esquivar-se.

Quando há confiança no Mestre e guia, segue-se a estrada de olhos fechados.

A redenção só se alcança com a morte de nosso passado.

A cruz aguarda-nos os passos, para conduzir-nos à felicidade.

A esperança sustenta o homem, levantando-o em suas quedas.

A dor desbasta e burila, como o cinzel do escultor.

A revolta é a barreira mais escarpada, que obstrui nossos passos.

As decepções são janelas que se abrem para conhecermos nossos irmãos.

O benefício que se presta a alguém dá sempre mais lucro a quem o faz.

A vida é uma oportunidade que precisa ser aproveitada.

A salvação é o trabalho do amor, que anula todos os males.

O aluno que quer aprender imita o que faz o mestre: reorganiza sua vida pelo prisma do Cristo.

77
Amor total

A mente não desenvolvida não pode compreender o amor total, tanto quanto um copo não pode conter o oceano.

Dá de acordo com a capacidade do recipiente, a fim de que a água que distribuis não transborde do vaso, perdendo-se inutilmente.

Os esclarecimentos nos virão com o tempo, que é a *dimensão da evolução.* Só evoluindo veremos melhor.

Evolução é *compreensão do amor.*

Amor é reunificação das mônadas no todo, através das unidades coletivas cada vez mais amplas.

78
Firmeza

Tua posição deve manter-se firmemente fiel a *Jesus*.

Permanece preso ao alto, a fim de que possas sustentar as almas que amas, na hora do perigo.

Firma-te no bem, para seres sempre um ponto de referência quando as pessoas queridas sentirem necessidade de ti.

Sê tu a rocha firme em que a âncora do barco desarvorado possa fixar-se sem perigo de soçobrar.

Mantém-te sólido, a fim de dar apoio a quem se sentir em perigo.

Conserva acesos teus faróis para que o viajante perdido possa reencontrar a rota, quando se dispuser a seguir, e não abandones a estrada mestra: quando os que tiverem saído por atalhos escabrosos se sentirem perdidos e quiserem voltar, estarás a postos para ajudá-los com todo o amor, dedicação e renúncia.

Sê firme e segue!

Conecte-se conosco:

facebook.com/editoravozes

@editoravozes

@editora_vozes

youtube.com/editoravozes

+55 24 2233-9033

www.vozes.com.br

Conheça nossas lojas:

www.livrariavozes.com.br

Belo Horizonte – Brasília – Campinas – Cuiabá – Curitiba
Fortaleza – Juiz de Fora – Petrópolis – Recife – São Paulo

Vozes de Bolso

EDITORA VOZES LTDA.
Rua Frei Luís, 100 – Centro – Cep 25689-900 – Petrópolis, RJ
Tel.: (24) 2233-9000 – E-mail: vendas@vozes.com.br